Am yr Awdur

Magwyd Anthony Horowitz ar straeon arswyd ac y mae'n dal i ymddiddori mewn pethau sinistr a brawychus. Pethau a digwyddiadau cyffredin bywyd bob dydd sydd wedi ysbrydoli'r straeon yn y llyfr hwn. Mae hyn yn wir am y rhan fwyaf o'r straeon yng ngweddill y gyfres. Ond y mae tro yng nghynffon pob un o'r straeon i'n hatgoffa y gall unrhyw beth ddigwydd, hyd yn oed mewn lle diogel. Dyw pethau erchyll, annisgwyl, brawychus ac iasol byth yn bell i ffwrdd.

Mae Anthony Horowitz yn awdur llwyddiannus nifer o lyfrau sydd wedi gwerthu'n dda, gan gynnwys straeon ditectif, straeon antur a straeon am ysbïwyr. Mae'r rhain wedi'u cyfieithu i dros ddwsin o ieithoedd. Mae e hefyd yn sgriptiwr teledu adnabyddus. Y mae'n un o sgriptwyr *Poirot, Midsomer Murders* a *Foyle's War*. Mae Anthony'n byw yn nwyrain Llundain.

'Nofelydd plant o'r radd flaenaf'
– TIMES EDUCATIONAL SUPPLEMENT

'Perffaith i ddarllenwyr sy'n hoff o ddigwyddiadau rhyfedd'
– SCHOOL LIBRARIAN ASSOCIATION

'Annisgwyl a chyffrous'
– BOOKS FOR KEEPS

OFN

I Thelma Fown –
i'w ddarllen yng ngolau'r lleuad.

OFN
ISBN 978-1-904357-17-9

Rily Publications Ltd
17 Penallta Road
Ystrad Mynach
Hengoed
CF82 7AP

Cyhoeddwyd am y tro cyntaf gan Orchard Books yn 1999

Cyhoeddwyd yn wreiddiol yn Saesneg fel *Scared*

Addasiad gan Mari George

Noddwyd gan Lywodraeth Cynulliad Cymru

Cysodwyd gan Wasg Dinefwr, Llandybïe, Sir Gaerfyrddin

www.rily.co.uk

Argraffwyd a rhwymwyd yn y Deyrnas Unedig
gan CPI Cox & Wyman Ltd, Reading, Berkshire.

ANTHONY

HOROWITZ

ADDASIAD MARI GEORGE

OFN

Cynnwys

OFN

Roedd Gari Jones ar goll.

Yr oedd hefyd yn boeth, yn flinedig ac yn grac. Wrth iddo ymladd ei ffordd trwy gae oedd yn edrych yn union yr un fath â'r cae diwethaf ac yn union yr un fath â'r cae o'i flaen, fe felltithiodd gefn gwlad. Melltithiodd ei nain am fyw yno ac yn bennaf ei fam am ei lusgo o'u cartref cyfforddus yng Nghaerdydd a'i adael yno. Pan gyrhaeddai adref fe fyddai'n gwneud iddi ddioddef – O, byddai. Ond sut oedd cyrraedd adref? Sut oedd Gari wedi llwyddo i fynd cymaint ar goll?

Oedodd am y degfed tro a cheisio deall ble roedd e. Petai mynydd wedi bod yno fe fyddai wedi'i ddringo gan drio gweld y bwthyn pinc lle roedd ei nain yn byw. Ond roedd e yn sir Fôn – un o'r llefydd mwyaf gwastad yng Nghymru. Yma, gallai lonydd y wlad guddio tu ôl i'r gwair byrraf ac roedd y gorwel bob amser yn bellach i ffwrdd o lawer nag yr oedd ganddo hawl i fod.

Roedd Gari yn bymtheg oed, yn dal am ei oedran a chanddo wg parhaol a llygaid cul fel rhai bwli ysgol. Doedd e ddim yn fawr – os rhyw-beth roedd e braidd yn denau – ond roedd ganddo freichiau hir, dyrnau caled ac roedd e'n gwybod sut i'w defnyddio. Efallai mai dyna pam yr oedd e nawr mor grac. Roedd Gari yn hoff o reoli popeth. Roedd e'n gwybod fod yn rhaid iddo ofalu amdano'i hunan. Petai unrhyw un wedi'i weld yn crwydro'n ddigyfeiriad mewn cae gwag yng nghanol nunlle, mi fydden nhw wedi chwerthin am ei ben. Ac wrth gwrs, byddai Gari wedi gorfod dial arnyn nhw.

Doedd neb yn chwerthin am ben Gari Jones. Ddim ar ei enw, na'i safle yn y dosbarth (bob amser yn olaf), ddim ar y plorod oedd wedi ffrwydro'n ddiweddar ar draws ei wyneb. Fel arfer, roedd pobl yn tueddu i'w anwybyddu ac roedd hynny'n siwtio Gari i'r dim. Roedd e'n mwynhau brifo plant eraill, gan gymryd eu harian cinio neu rwygo tudalennau allan o'u llyfrau. Ond roedd codi ofn arnyn nhw yn llawn cymaint o sbort. Hoffai'r hyn yr oedd yn ei weld yn eu llygaid. Ofn. Roedd Gari'n hoff iawn o godi ofn ar bobl.

Tua chwarter ffordd ar draws y cae, aeth troed Gari i mewn i dwll yn y ddaear a baglodd. Llwyddodd i'w arbed ei hunan rhag syrthio ond saethodd poen i fyny ei goes wrth iddo droi ei ffêr. Rhegodd dan ei anadl, y gair pedair llythyren oedd yn gwneud i'w fam wingo bob amser. Roedd hi wedi rhoi'r gorau i drio'i berswadio i beidio â defnyddio iaith ffiaidd. Roedd Gari mor dal â hi erbyn hyn ac roedd e'n gwybod ei bod hi, yn ei ffordd dawel, yn ofnus ohono hefyd. Weithiau byddai hi'n trio rhesymu gydag e, ond roedd hi'n gwybod nad oedd pwynt codi llais arno.

Gari oedd ei hunig blentyn. Roedd ei gŵr – Edward Jones – wedi bod yn glerc yn y banc lleol tan iddo syrthio'n farw un diwrnod. Cafodd drawiad enfawr ar y galon. Roedd dogfennau'n dal yn ei law pan ddaethon nhw o hyd iddo. Doedd Gari erioed wedi cyd-dynnu â'i dad a doedd e ddim wir wedi gweld ei eisiau – yn enwedig pan sylweddolodd mai ef nawr oedd dyn y tŷ.

Mewn tŷ teras bach yng Nghaerdydd yr oedden nhw'n byw. Roedd yna bolisïau yswiriant a phensiwn bach gan y banc, felly roedd Jane

Jones wedi gallu cadw'r tŷ. Ond hyd yn oed wedyn, roedd hi wedi gorfod mynd yn ôl i weithio er mwyn ei chynnal hi a Gari . . . a doedd dim eisiau gofyn pa un o'r ddau oedd y mwyaf drud i'w gadw.

Doedd dim gobaith cael gwyliau tramor. Er i Gari gwyno a chwyno, doedd Jane Jones ddim yn gallu dod o hyd i'r arian. Ond roedd ei mam yn byw ar fferm yn sir Fôn. Ddwywaith y flwyddyn, yn yr haf ac adeg y Nadolig, byddai'r ddau ohonyn nhw'n mynd ar y daith drên bum awr o Gaerdydd i Neuadd Menai ar Ynys Môn.

Roedd yn lle hyfryd. Rhedai lôn fach o'r ffordd heibio rhes o goed a ffermdy Fictoraidd ac ymlaen drwy fwlch yn y clawdd. Roedd y lôn fel pe bai'n dod i ben yma ond mewn gwirionedd fe droellai yn ei blaen, gan arwain at fwthyn bach crwca wedi'i baentio'n binc yng nghanol môr o wair yn llawn llygaid y dydd.

'On'd ydy o'n ddel?' meddai ei fam, wrth i'r tacsi o'r stesion glecian i fyny'r hewl. Plymiodd brân neu ddwy dros eu pennau a glanio mewn cae cyfagos.

Rhegodd Gari dan ei anadl.

'Neuadd Menai!' ochneidiodd ei fam. 'Ro'n i mor hapus fan hyn ar un adeg.'

Ond ble roedd y lle yma?

Ble roedd Neuadd Menai?

Wrth iddo groesi cae enfawr, teimlodd Gari ei hunan yn gwingo gyda phob cam. Roedd yn dechrau teimlo rhywbeth yn corddi y tu mewn iddo hefyd. Doedd dim ofn arno. Roedd e'n rhy grac i hynny. Ond roedd e'n dechrau dyfalu faint pellach y byddai'n rhaid iddo gerdded cyn ei fod yn gwybod ble roedd e. A faint pellach *allai* e gerdded? Trawodd ryw bryfyn oedd yn hedfan o'i gwmpas a daliodd ati i gerdded.

Roedd Gari wedi gadael i'w fam ei berswadio i ddod oherwydd fe wyddai, pe byddai'n cwyno digon, y byddai hi'n cael ei gorfodi i brynu o leiaf ddyrnaid o CDs iddo. Wrth gwrs, fe gafodd Gari ei ffordd. Ac ar y siwrne o Gaerdydd i Fangor bu'n gwrando ar CD newydd ei hoff fand roc. Wedi iddo gyrraedd roedd e mewn hwyliau digon da hyd yn oed i roi cusan fach i'w nain.

'Ti wedi tyfu cymaint,' meddai'r hen wraig wrth iddo eistedd yn llipa mewn hen gadair freichiau wrth ymyl y tân agored yn yr ystafell ffrynt.

Roedd hi wastad yn dweud hynny. Roedd hi mor ddiflas.

Syllodd hi ar ei merch. 'Rwyt ti'n edrych yn deneuach, Jane. Ac rwyt ti wedi blino. Does dim lliw yn dy fochau o gwbwl.'

'Mam, dwi'n iawn.'

'Nag wyt. Dwyt ti ddim yn edrych yn iawn. Ond ar ôl wythnos yn y wlad fe fyddi di'n well.'

Wythnos yn y wlad! Wrth iddo hercian ymlaen ac ymlaen drwy'r cae, gan daro'r pryfyn ofnadwy oedd yn dal i hedfan o gwmpas ei ben, hiraethai Gari am heolydd concrit, am arosfannau bysiau, am oleuadau traffig a byrgers.

O'r diwedd cyrhaeddodd y clawdd oedd yn rhannu'r cae hwn oddi wrth y nesaf a chydiodd ynddo, gan rwygo'r dail â'i ddwylo. Yna sylwodd ar y danadl poethion y tu ôl iddyn nhw ond roedd hi'n rhy hwyr. Gwaeddodd Gari. Roedd rhes o smotiau gwyn wedi codi ar draws cledr ei law a'r tu fewn i'w fysedd.

Beth yn y byd oedd mor dda am gefn gwlad?

Fe fyddai ei nain yn siarad byth a hefyd am y tawelwch, yr awyr iach, y rwtsh arferol mae pobl drist yn ei ddweud. Pobl na fyddai'n nabod croesfan hyd yn oed petaen nhw'n gweld un. Pobl heb fywyd. Dim ond y blodau, y coed a'r adar a'r gwenyn. Ych a fi!

'Mae popeth yn wahanol yn y wlad,' byddai hi'n ei ddweud. 'Dydy amser yn golygu dim. Dwyt ti ddim yn ei deimlo'n rhuthro heibio. Rwyt ti'n gallu sefyll allan yn fan hyn a dychmygu sut roedd pethau cyn i bobl ddifetha popeth gyda'u sŵn a'u peiriannau. Rwyt ti'n dal yn gallu teimlo'r hud yn y wlad. Hud a lledrith a phŵer natur. Mae'r cyfan o'th amgylch. Yn fyw. Yn aros . . .'

Roedd Gari wedi gwrando ar yr hen wraig ac wedi chwerthin am ei phen. Roedd hi'n amlwg yn colli arni. Doedd dim hud yn y wlad, dim ond dyddiau hir oedd yn dueddol o lusgo 'mlaen am byth a nosweithiau heb ddim i'w wneud. Hud a lledrith natur? Dyna beth oedd jôc. Hyd yn oed pe bai hud wedi bodoli – ac roedd hynny'n annhebygol – byddai wedi cael ei ddinistrio ers amser gan y dinasoedd, wedi'i gladdu dan filltir-oedd o draffyrdd concrit. Gyrru ar hyd yr M4 ar gyflymdra o 100 milltir yr awr â'r to ar agor a'r chwaraewr CD yn bloeddio . . . i Gari, *dyna* beth fyddai hud go iawn.

Ar ôl ychydig ddyddiau yn diogi o amgylch y tŷ, roedd Gari wedi gadael i'w nain ei berswadio i fynd am dro. Y gwir oedd ei fod wedi diflasu ar y ddwy fenyw, a beth bynnag, allan yn y caeau byddai'n gallu smocio un neu ddwy o'r sigaréts yr oedd wedi'u prynu gydag arian a wnaeth ei ddwyn o fag ei fam.

'Gwna'n siŵr dy fod yn dilyn y llwybrau, Gari,' roedd ei fam wedi dweud wrtho.

'A phaid ag anghofio'r cod cefn gwlad,' ychwanegodd ei nain.

Roedd Gari'n cofio'r cod cefn gwlad yn iawn. Wrth iddo grwydro oddi wrth Neuadd Menai fe gydiodd mewn blodau gwyllt a'u rhwygo'n ddarnau. Pan ddaeth at glwyd fe'i gadawodd ar agor yn fwriadol, gan wenu wrtho'i hunan a meddwl am yr anifeiliaid fferm a allai grwydro i'r ffordd. Yfodd lond can o Coke, gwasgu'r can a'i daflu i ganol cae yn llawn blodau menyn. Fe dorrodd frigyn oddi ar goeden afalau. Fe smociodd sigarét a thaflu'r bonyn, tra oedd yn dal ynghyn, i mewn i laswellt hir.

Ac fe grwydrodd oddi ar y llwybr. Efallai nad oedd hynny wedi bod yn syniad da o gwbl. Roedd e ar goll mewn chwinciad. Roedd e'n trampio trwy gae, yn gwasgu'r cnydau dan ei draed, pan sylweddolodd fod y ddaear yn dechrau mynd yn feddal ac yn llaith. Aeth ei droed drwy'r ŷd, neu beth bynnag oedd yna, a daeth dŵr dros ei esgid gan wlychu ei hosan. Gwgodd Gari a meddwl am eiliad cyn penderfynu mynd yn ôl ar hyd y ffordd yr oedd wedi dod ar hyd-ddi . . .

Ond rywsut doedd y ffordd yr oedd wedi dod ar hyd-ddi ddim yno bellach. Dylai fod yna. Wedi'r cyfan roedd e wedi gadael digon o olion ar y tir. Ond yn sydyn roedd y brigyn oedd wedi'i dorri, y can Coke a'r planhigion oedd wedi'u rhwygo, wedi diflannu. Doedd dim sôn am y llwybr chwaith. Mewn gwirionedd doedd dim byd o gwbwl yr oedd Gari'n ei adnabod. Dyna beth rhyfedd.

Roedd hynny ddwy awr yn ôl.

Ers hynny roedd pethau wedi mynd o ddrwg i waeth. Aeth Gari drwy goedwig fechan (er ei fod yn siŵr nad oedd coedwig yn agos at Neuadd Menai) ac roedd e wedi llwyddo i grafu ei ysgwydd a brifo'i goes ar ddraenen. Funud yn ddiweddarach roedd e wedi bwrw yn erbyn coeden a rhwygo'i hoff siaced, un ddu a gwyn yr oedd wedi'i dwyn o siop Oxfam yn Nhreganna.

Llwyddodd i ddod allan o'r goedwig – ond doedd hynny, hyd yn oed, ddim wedi bod yn hawdd. Yn sydyn daeth ar draws afon a'r unig ffordd i'w chroesi oedd cerdded ar hyd bonyn coeden oedd yn gorwedd yn ei chanol. Roedd e bron â llwyddo ond ar y funud olaf roedd y fonyn coeden wedi rholio o dan ei droed, gan wneud iddo syrthio i mewn i'r dŵr. Safodd ar ei draed gan boeri a rhegi. Ddeng munud yn ddiweddarach roedd e wedi stopio i gael sigarét arall ond roedd yr holl becyn yn socian.

A nawr . . .

Nawr fe sgrechiodd wrth iddo sylweddoli taw gwenynen oedd y pryfyn ac fe gafodd ei bigo ar ochr ei wddf. Tynnodd ar ei grys-T Simpsons budr, a cheisio gweld y briw. O gornel ei lygad fe allai weld fod ei wddf yn goch ac wedi chwyddo. Symudodd ei bwysau ar y droed oedd wedi brifo ac ochneidio wrth i boen wahanol saethu i fyny ei goes. Ble oedd Neuadd Menai? Bai ei fam oedd hyn i gyd. A'i nain. Nhw oedd y rhai oedd wedi awgrymu ei fod yn mynd am dro. Wel, fe fyddai'n rhaid iddyn nhw dalu am hyn. Efallai y bydden nhw'n meddwl ddwywaith ynglŷn â pha mor hardd oedd cefn gwlad pan fyddai eu bwthyn annwyl yn llosgi'n ulw.

Ac yna fe welodd e'r bwthyn. Dyna lle roedd y waliau pinc a'r simneiau cam o'i flaen. Rywsut roedd e wedi llwyddo i ddod yn ei ôl. Dim ond un cae arall oedd ganddo i'w groesi a byddai yno. Yn ei ddagrau, bron, aeth Gari tuag at y bwthyn. Roedd rhyw fath o lwybr yn mynd o gwmpas ochr y cae ond doedd e ddim am fynd y ffordd yna. Cerddodd yn syth ar draws y canol. Roedd y cae newydd ei hau. Dyna drueni!

Roedd y cae hyd yn oed yn fwy na'r un yr oedd newydd ei groesi a'r haul yn boethach nag erioed. Roedd y pridd yn feddal a suddai ei draed i mewn iddo. Roedd ei ffêr ar dân a chyda phob cam a gymerai, fe âi ei goesau yn drymach a thrymach. Doedd y wenynen ddim yn fodlon gadael llonydd iddo chwaith. Roedd hi'n hedfan o gwmpas ei ben. Rownd a rownd, a'r sŵn yn twrio i mewn i'w benglog. Ond roedd Gari wedi blino gormod i'w tharo eto. Roedd ei freichiau yn hongian yn ddifywyd wrth ei ochr, a blaenau ei fysedd yn lledgyffwrdd â choesau ei jîns. Llanwodd ei ffroenau ag arogl y wlad nes yr oedd e'n teimlo'n sâl. Roedd e wedi bod yn cerdded nawr am ddeng munud, efallai'n hirach. Ond doedd Neuadd Menai fymryn yn nes. Fe welai Gari'r bwthyn drwy ryw fath o niwl. Meddyliodd tybed a oedd e wedi bod yn yr haul yn rhy hir? A oedd hi mor boeth â hyn pan adawodd y tŷ?

Roedd pob cam yn mynd yn fwy anodd. Roedd ei draed fel petaen nhw'n trio gwreiddio'u hunain yn y ddaear. Edrychodd yn ôl (gan wingo wrth i'w goler rwbio yn erbyn pigiad y wenynen) a gwelodd er mawr ryddhad iddo, ei fod yn union hanner ffordd ar draws y cae. Llifodd rhywbeth i lawr ei foch a syrthio oddi ar ei ên – ni wyddai ai chwys neu ddeigryn ydoedd.

Allai e ddim mynd ddim pellach. Roedd polyn yn y ddaear o'i flaen a chydiodd Gari ynddo'n ddiolchgar. Byddai'n rhaid iddo gael seibiant am ychydig bach. Roedd y ddaear yn rhy feddal a llaith i eistedd arni felly byddai'n rhaid iddo gael seibiant ar ei draed, yn cydio yn y polyn. Dim ond munud neu ddwy. Yna byddai'n croesi gweddill y cae.

Ac yna . . .

Ac yna . . .

Pan ddechreuodd yr haul fachlud a dim sôn am Gari o hyd, galwodd ei nain yr heddlu. Cymerodd y swyddog ddisgrifiad o'r bachgen coll a'r noson honno aethon nhw ati i chwilio'r ardal â chrib fân. Buon nhw'n chwilio am y pum diwrnod canlynol ond doedd dim sôn amdano. Roedd yr heddlu'n credu efallai ei fod e wedi mynd mewn i gar dieithryn. Gallai fod wedi cael ei gipio. Ond doedd neb wedi gweld unrhyw beth. Roedd hi fel petai cefn gwlad wedi mynd ag ef a'i lyncu, meddai un heddwas.

Gwyliodd Gari'r heddlu, ymhen amser, yn rhoi'r gorau iddi a gadael. Gwyliodd wrth i'w fam gario'i chês allan o Neuadd Menai a mynd mewn i'r tacsi fyddai'n mynd â hi'n ôl i orsaf Bangor i ddal ei thrên i Gaerdydd. Roedd e'n falch o weld ei bod o leiaf wedi crio oherwydd ei golled. Ond roedd yn siŵr ei bod yn edrych yn llai blinedig ac yn llai sâl nag yr edrychai pan gyrhaeddodd Neuadd Menai.

Welodd mam Gari mohono fo. Wrth iddi droi yn ôl yn y tacsi i godi llaw ar ei mam a Neuadd Menai, fe sylwodd nad oedd brain yno y tro hwn. Ond yna fe welodd pam. Roedden nhw wedi cael eu dychryn gan y ffigwr oedd yn sefyll yng nghanol cae, yn pwyso ar ddarn o bren. Am eiliad meddyliodd ei bod yn adnabod y siaced ddu a gwyn oedd wedi rhwygo a'r crys-T Simpsons budr. Ond drysu roedd hi siŵr o fod. Dweud dim oedd orau.

Aeth y tacsi heibio'r bwgan brain newydd ac i lawr heibio'r coed tuag at yr ffordd fawr.

gyrfa mewn gêmau

CYFRIFIADUR

GYRFA MEWN GÊMAU CYFRIFIADUR

Yn eisiau – person heini, brwdfrydig i ddatblygu gêm gyfrifiadurol newydd. Does dim angen profiad na chymwysterau. Telir y cyflog uchaf ynghyd â bonws. Ffoniwch: 020 8340 1225.

Cerdyn. Yr un fath â'r lleill. Yn ffenest ei siop bapurau leol. Ac o'r dechrau, fe wyddai Kevin mai fe oedd y person iawn i'r swydd hon. Roedd yn un ar bymtheg oed a newydd adael yr ysgol ac roedd dau beth amdano oedd yn hollol wir. Doedd ganddo ddim profiad na chymwysterau.

Roedd Kevin wrth ei fodd â gêmau. Aeth â'i gyfrifiadur poced gydag e i'r ysgol bob dydd y llynedd, er bod hyn yn erbyn rheolau'r ysgol. Pan gafodd ei gymryd oddi arno gan athro blin yng nghanol gwers ddaearyddiaeth (pan oedd ar fin dod o hyd i'r seren aur olaf yn *Moon Quest*) aeth Kevin allan yn syth a phrynu un newydd. Y tro hwn cafodd un gyda sgrin liw a threuliodd weddill y tymor yn chwarae ag e.

Bob dydd pan gyrhaeddai adref fe daflai ei fag i'r gornel gan anghofio am ei waith cartref, ac fe fyddai naill ai'n cychwyn gliniadur ei dad er mwyn chwarae gêm o *Brain Dead* neu *Blade of Evil*, neu fe fyddai'n troi ei gyfrifiadur ei hunan ymlaen ar gyfer sesiwn fer o *Road Kill 2*. Roedd ystafell Kevin yn llawn o gylchgronau a phosteri cyfrifiaduron. Doedd Kevin ddim wedi cwrdd â'r rhan fwyaf o'i ffrindiau gorau. Cyfnewid negeseuon gyda nhw ar y we a wnâi – awgrymiadau am gêmau yn bennaf, yn ogystal â chodau cyfrinachol a ffyrdd o dwyllo.

Hefyd, bob dydd Sadwrn, fe ddaliai Kevin y bws i Gaerdydd a threulio'r diwrnod yn yr arcedau. Roedd un reit yng nghanol y ddinas, a chanddi dri llawr ac yn llawn o'r cyfarpar diweddaraf. Byddai Kevin yn mynd i fyny'r grisiau symudol gyda'i bocedi'n llawn o ddarnau punt. Iddo fe, doedd dim sŵn gwell yn y byd na sŵn darn punt newydd yn rholio i mewn i dwll. Erbyn diwedd y dydd, byddai'n mynd adref gyda'i bocedi'n wag, ei ben yn wag a gwên flinedig ar ei wyneb.

Canlyniad hyn oedd fod Kevin wedi gadael yr ysgol heb unrhyw wybodaeth am unrhyw beth o gwbwl. Methodd ei arholiadau i gyd – y rhai yr oedd wedi ffwdanu eu sefyll, hynny yw. Doedd dim gobaith ganddo fynd i brifysgol – gallai ddim hyd yn oed fod wedi sillafu'r gair. Ac, fel yr oedd yn dechrau sylweddoli ei hun, doedd dim llawer o swyddi ar gael i bobl mor anwybodus â Kevin.

Ond doedd dim llawer o ots ganddo. Er pan oedd yn dair ar ddeg, doedd e ddim wedi bod yn brin o arian ac ni welai pam na allai hyn barhau. Kevin oedd yr ieuengaf o bedwar o blant, yn byw mewn tŷ mawr ar gyrion Caerdydd. Roedd ei dad yn ddyn tawel, trist yr olwg oedd yn gweithio sifft nos mewn becws ac yn cysgu'r rhan fwyaf o'r dydd, felly nid oedd Kevin yn ei weld ryw lawer. Roedd ei fam yn gweithio mewn siop. Roedd ganddo frawd yn y fyddin, chwaer oedd yn briod a brawd arall yn hyfforddi i fod yn yrrwr tacsi. Lleidr oedd Kevin. Ac roedd e'n lleidr da.

Dwyn. Dyna sut y byddai Kevin yn cael yr arian i brynu cyfarpar a gêmau cyfrifiadur. Dyna sut y byddai'n talu i gael chwarae yn yr arcedau yn y ddinas. Roedd e wedi dechrau dwyn o siopau – yr archfarchnad leol, y siopau cornel, siopau llyfrau a'r fferyllfa yn y stryd fawr. Yna fe ddaeth ar draws pobl ifanc eraill a ddysgodd iddo sut i wneud mwy o arian wrth dorri i mewn i geir a thai. Roedd Kevin yn gwybod am dafarn y tu ôl i'r rheilffordd lle gallai gael pum punt am radio car, ugain punt am stereo da neu gamera fideo a doedd neb yn gofyn cwestiynau. Doedd Kevin erioed wedi cael ei ddal. Ac fe gredai Kevin, dim ond iddo fod yn ofalus, na fyddai hynny'n debygol o ddigwydd chwaith.

Roedd Kevin yn pasio'r siop bapurau ar ei ffordd i'r dafarn pan welodd yr hysbyseb am y swydd. Doedd swyddi – swyddi gonest – ddim yn apelio fel arfer. Ond roedd rhywbeth am yr hysbyseb yma oedd wedi dal ei sylw. Y darn am y 'cyflog uchaf a bonws' i ddechrau. Ac roedd e'n gwybod ei fod yn heini. Roedd e wedi rhedeg i ffwrdd oddi wrth ddigon o ffenestri ceir a drysau tai oedd wedi torri i wybod hynny. Roedd e'n bendant yn frwdfrydig – tuag at gêmau cyfrifiadurol beth bynnag! Wrth gwrs, efallai ei fod yn gwastraffu ei amser – os oedden nhw eisiau rhywun i greu rhaglenni neu unrhyw beth felly. Ond . . .

Pam ddim? Pam ddiawl ddim?

Dridiau'n ddiweddarach roedd e'n sefyll y tu allan i swyddfa yng nghanol Caerdydd. Yr oedd wedi dod i gwrdd â Miss Toe. Dyna beth oedd ei henw, meddai hi. Roedd Kevin wedi'i ffonio o flwch ffôn ac roedd mor falch ei fod wedi cael cynnig cyfweliad fel na wnaeth ddifrodi'r ffôn y tro hwn. Ond nawr, nid oedd mor siŵr. Fe arweiniodd y cyfeiriad ef at adeilad cul o frics coch wedi'i wasgu rhwng siop gacennau a siop dybaco. Roedd mor gul fel y cerddodd heibio iddo ddwywaith cyn iddo'i weld. Roedd yn hen gyda ffenestri llychlyd a'r math o ddrws ffrynt y byddech yn disgwyl ei weld ar ddwnsiwn. Wrth ochr y drws roedd 'na blac bach efydd ac roedd yn rhaid i Kevin blygu i lawr i'w ddarllen.

GÊMAU GALAETHOL CYF.

Doedd hyn ddim yn ddechrau da. Er yr holl gylchgronau a ddarllenai Kevin, nid oedd erioed wedi clywed am unrhyw gwmni o'r enw Gêmau Galaethol. A nawr, wrth feddwl am y peth, pa fath o gwmni cyfrifiaduron fyddai'n hysbysebu mewn siop bapurau? A pha fath o gwmni cyfrifiaduron fyddai'n berchen ar swyddfa fach ddi-raen fel hon?

Roedd e ar fin gadael. Cerddodd i ffwrdd. Yna newidiodd ei feddwl. Gan ei fod yma, man a man iddo fynd mewn. Wedi'r cwbl, roedd e wedi talu am docyn bws (hyd yn oed os oedd wedi twyllo a phrynu tocyn plentyn). Doedd ganddo ddim byd arall i'w wneud. Byddai siŵr o fod yn sbort ac efallai y gallai ddwyn blwch llwch neu rywbeth ar y slei.

Canodd Kevin y gloch.

'Ie?' Roedd y llais ar yr intercom yn uchel ac yn wichlyd.

'Kevin Thomas,' meddai. ''Di dod am y job.'

'O, ie. Dewch yn syth i fyny, plis. Y llawr cyntaf.'

Cliciodd y drws ac fe wthiodd Kevin e ar agor a mynd i mewn. Gwelodd risiau cul mewn coridor tywyll, gwag. Ni hoffai Kevin olwg y lle ryw lawer. Roedd y grisiau'n gam. Teimlai'r lle fel petai tua chan mlwydd oed. Diflannodd pob sŵn o'r stryd yr eiliad y caeodd y drws trwm y tu ôl iddo. Unwaith eto, roedd rhywbeth yn dweud wrth Kevin y dylai fynd adre, ond roedd hi'n rhy hwyr. Agorodd drws ar dop y grisiau gan arllwys golau aur i mewn i'r tywyllwch. Daeth person i'r golwg ac edrych i lawr arno.

'Plis. Ffordd hyn . . .'

Aeth Kevin draw at y drws a gweld ei fod wedi'i agor gan fenyw fach Siapaneaidd yr olwg yn gwisgo ffrog ddu blaen gydag esgidiau sodlau uchel oedd yn gwneud iddi bwyso ymlaen fel pe bai hi ar fin syrthio'n fflat ar ei hwyneb. Roedd ei hwyneb, yr hyn a welai ohono, yn grwn ac yn welw. Gorchuddiai sbectol haul ddu ei llygaid ac roedd hi'n fach iawn. Doedd ei phen ddim yn dod yn uwch na gên Kevin.

'Pwy wyt ti?' gofynnodd Kevin.

'Fi yw Miss Toe,' meddai. Roedd ganddi acen ryfedd. Nid acen Siapaneaidd, ond nid Saesneg na Chymraeg chwaith. Ac wrth iddi siarad fe adawai bylchau bach rhwng pob gair. 'Fi – yw – Miss – Toe. Fe – siaradon – ni – ar – y – ffôn.' Caeodd Miss Toe y drws.

Gwelodd Kevin ei fod mewn swyddfa fach gyda desg fach wag a ffôn arni ac un gadair y tu ôl iddi. Doedd dim byd arall yn yr ystafell. Doedd dim un llun ar y waliau gwyn, ddim hyd yn oed calendr. Doedd dim byd i Kevin ei ddwyn!

'Wnaiff Mr Go dy weld di nawr,' meddai hi.

Miss Toe a Mr Go. Roedd Kevin eisiau chwerthin ond am ryw reswm ni allai wneud hynny. Roedd hyn i gyd yn rhy ryfedd.

Roedd Mr Go yn eistedd mewn swyddfa oedd drws nesa i swyddfa Miss Toe. Edrychai'r olygfa fel petai rhywun wedi cerdded trwy ddrych. Roedd yr ystafell hon yn union yr un peth â'i hystafell hi, gyda waliau gwyn llachar; un ddesg, un ffôn, ond dwy gadair. Roedd Mr Go'r un maint â'i gynorthwywraig ac roedd e hefyd yn gwisgo sbectol dywyll. Gwisgai siwmper oedd ychydig yn rhy fach iddo a phâr o drowsus oedd ychydig yn rhy fawr. Wrth iddo sefyll ar ei draed roedd ei symudiadau'n sydyn a rhyfedd ac roedd e hefyd yn gadael bylchau rhwng ei eiriau.

'Dere i mewn, plis,' meddai Mr Go, wrth weld Kevin ger y drws. Gwenodd gan ddangos rhes o ddannedd gyda mwy o liw arian arnyn nhw na gwyn. ''Stedda!' Pwyntiodd at y gadair ac eisteddodd Kevin arni gan deimlo'n fwy ac yn fwy amheus bob munud. Yn bendant roedd rhywbeth yn rhyfedd yn fan hyn. Roedd rhywbeth o'i le. Estynnodd Mr Go i mewn i'w ddesg a thynny darn sgwâr o bapur allan: rhyw fath o ffurflen. Doedd Kevin ddim yn gallu darllen yn dda iawn ac roedd y papur wyneb i waered beth bynnag, ond o'r hyn allai e weld, doedd y ffurflen ddim wedi'i hysgrifennu yn Saesneg. Roedd y geiriau wedi'u creu o luniau yn hytrach na llythrennau ac yn mynd i lawr y dudalen yn hytrach nag ar draws. Siapanaeg mae'n rhaid, meddyliodd Kevin.

'Beth yw dy enw?' gofynnodd Mr Go.

'Kevin Thomas.'

'Oed?'

'Un deg chwech.'

'Cyfeiriad?'

Rhoddodd Kevin ei gyfeiriad iddo.

''Di gadael ysgol?'

'Do. Cwpwl o fisoedd yn ôl.'

'A dwed wrtha i, plis. Gest ti ganlyniadau TGAU da?'

'Naddo.' Roedd Kevin yn grac nawr. 'Ro'dd yr hysbyseb yn dweud bod dim angen pasio unrhyw arholiad! So pam ti'n gwastraffu'n amser i yn gofyn hyn i fi?'

Edrychodd Mr Go arno'n graff. Roedd hi'n amhosib i rywun fod yn bendant ynglŷn â hyn oherwydd y sbectol dywyll oedd yn cuddio'i lygaid, ond fe gredai Kevin fod Mr Go wedi ei blesio. 'Ti'n eitha reit,' meddai. 'Eitha reit. Does dim angen cymwysterau. Dim o gwbwl. Ond a elli di roi geirda i ni?'

'Beth?' Roedd Kevin yn gorweddian yn ei gadair. Roedd e wedi penderfynu nad oedd ots ganddo pe câi'r swydd neu beidio – a doedd e ddim am i'r dyn hurt yma feddwl ei fod yn poeni am y peth!

'Geirda gan dy athrawon. Neu dy rieni. Neu gyflogwyr blaenorol. I ddweud wrtha i sut fath o berson wyt ti.'

'Does gen i ddim unrhyw gyflogwr blaenorol,' meddai Kevin. 'Byddai'r athrawon jest yn rhoi llwyth o rwtsh i chi. A sdim ots gyda'n rhieni i. Stwffiwch eich geirda! I beth sy eisiau geirda, ta beth?'

Wrth iddo siarad, fe wyddai Kevin fod y cyfweliad wedi dod i ben, siŵr o fod. Ond roedd rhywbeth am yr ystafell wag a'r dyn bach oedd fel dol a wnâi iddo deimlo'n anghysurus. Roedd e eisiau gadael. Er mawr syndod iddo, fe wenodd Mr Go eto. 'Yn bendant!' cytunodd. 'Wfft i eirda. Er mai dim ond am ddau ddeg naw eiliad a hanner yr wyt ti wedi bod yn fy swyddfa, galla i weld yn barod sut fath o gymeriad wyt ti. A Kevin bach – alla i dy alw di'n Kevin? – Fe alla i weld mai dyma'r union gymeriad yr ydym yn chwilio amdano. Heb amheuaeth!'

'Beth yw'r lle 'ma?' gofynnodd Kevin.

'Gêmau Galaethol,' atebodd Mr Go. 'Y dyfeiswyr gêmau gorau yn y bydysawd. Rydym wedi ennill nifer fawr iawn o wobrau am *Smash Crash*

Slash 500. Ac mae ein fersiwn diweddaraf (*Mwy o Smash Crash Slash*) yn mynd i fod yn well fyth.'

'*Smash Crash Slash*?' Crychodd Kevin ei drwyn. 'Dw i erioed wedi clywed am y gêm yna.'

'Dyw hi ddim wedi cael ei marchnata eto. Ddim yn yr ardal . . . hon. Ond rydyn ni am i ti weithio ar y gêm yma. Ac os wyt ti'n gêm, fe gei di'r swydd.'

'Faint 'ych chi'n talu?' gofynnodd Kevin.

'Dwy fil o bunnau'r wythnos a char a gofal iechyd a phecyn angladd.'

'Pecyn angladd?'

'Jest rhywbeth ecstra rydyn ni'n ei daflu i mewn, dim y byddi di ei angen, wrth gwrs.' Tynnodd Mr Go feiro aur allan a sgriblo ychydig o nodiadau ar y darn papur, yna'i droi tuag at Kevin. 'Arwydda yn fan hyn,' meddai.

Cymerodd Kevin y beiro. Roedd yn rhyfeddol o drwm. Ond oedodd Kevin am funud. 'Dwy fil o bunnau'r wythnos,' meddai.

'Ie.'

'Sut fath o gar?'

'Unrhyw gar y leici di.'

'Ond dwyt ti ddim wedi dweud wrtha i beth sydd raid i fi neud. Dwyt ti ddim wedi dweud unrhyw beth wrtha i am y swydd . . .'

Ochneidiodd Mr Go. 'Iawn,' meddai. 'Dim problem. Ffeindiwn ni rywun arall.'

'Aros funud . . .'

'Os nad oes diddordeb gen ti!'

'Ma diddordeb 'da fi.' Roedd yr arian wedi temtio Kevin. Dwy fil o bunnau'r wythnos a char! Beth oedd yr ots os oedd Mr Go fel petai'n hollol wallgof ac os nad oedd Kevin wedi clywed am y cwmni na'r gêm . . . beth oedd ei henw eto? *Bash Smash Dash.* Chwiliodd yn frysiog am wagle ar y darn papur a sgriblo'i enw arno.

Kevin Thomas . . .

Ond yn rhyfedd iawn, wrth i'r beiro symud ar draws y dudalen; roedd fel petai'n mynd yn fwy chwilboeth yn ei law. Dim ond am eiliad neu ddwy y gwnaeth hyn bara, wrth iddo daro'i lofnod ar y papur. Gwaeddodd Kevin a gollwng y beiro, gan chwilio am losgiadau ar ei fysedd. Ond doedd dim byd yna. Cododd Mr Go'r beiro ac roedd yn oer eto. Rhoddodd ef yn ei boced a thynnu'r darn papur yn ôl i'w ochr e o'r ddesg.

'Wel, dyna fe,' meddai. 'Croeso i *Mwy o Smash Crash Slash.*'

'Pryd ydw i'n dechre?' gofynnodd Kevin.

'Rwyt ti wedi dechre'n barod.' Safodd Mr Go ar ei draed. 'Byddwn ni mewn cysylltiad â ti cyn hir,' meddai. Chwifiodd ei law.

'Gei di fynd nawr.'

Roedd Kevin eisiau dadlau ag e. Roedd rhan ohono am roi clatsien i'r dyn bach ar ei drwyn. Byddai hynny'n dangos iddo! Ond roedd ei law yn dal i frifo ar ôl cydio yn y beiro ac roedd e wir eisiau mynd 'nôl allan ar y stryd. Efallai y cerddai 'nôl i'r arcêd yng nghanol y ddinas. Neu efallai yr âi adref a mynd i'r gwely. Pa beth bynnag y byddai'n ei wneud, doedd e ddim am aros yn fan hyn.

Gadawodd yr ystafell yn union yr un ffordd ag y daeth i mewn.

Doedd Miss Toe ddim yn ei hystafell mwyach ond roedd y drws ar agor yr ochr arall ac fe gerddodd Kevin allan. A dyna pryd y sylwodd ar rywbeth rhyfedd arall. Roedd y drws yn oleuni i gyd. Roedd hi fel petai rhimyn neon yn rhan o'r ffrâm. Wrth iddo gerdded drwy'r drws dawnsiai'r golau yn ei lygaid gan ei ddallu.

'Beth yn y byd . . .?' meddai'n dawel wrtho'i hunan.

Ni stopiodd gerdded tan iddo gyrraedd adref.

Doedd dim llawer o bobl o gwmpas y lle pan drodd Kevin i mewn i'r stryd lle roedd yn byw. Roedd hi'n hanner awr wedi tri a byddai'r rhan fwyaf o'r mamau'n casglu eu plant o'r ysgol neu yn y gegin yn paratoi te os nad oedden nhw yn y gwaith, wrth gwrs. Roedd Stryd y Berllan yn stryd hir dawel gyda thai teras Fictoraidd ochr yn ochr ar hyd-ddi. Roedd tua hanner yr adeiladau'n perthyn i'r Gymdeithas Dai ac roedd tad Kevin wedi bod yn ddigon lwcus i gael un reit ar ddiwedd y rhes. Tŷ a chanddo dri llawr, gwydr lliw yn y drws ffrynt ac eiddew yn tyfu i fyny'r ochr. Doedd Kevin ddim yn hoffi byw yma, wrth gwrs. Roedd e'n dadlau o hyd gyda'r cymdogion. (Pam oedden nhw'n poeni cymaint am eu cath? Dim ond taflu un fricsen ati wnaeth Kevin . . .) Ac roedd y stryd yn rhy dawel i Kevin. Yn rhy ddiflas a gormod o bobl ddosbarth canol yn byw yna. Byddai'n well ganddo fod mewn fflat ar ei ben ei hunan.

Roedd e newydd gyrraedd y drws ffrynt pan welodd ddyn yn cerdded tuag ato. Ni fyddai fel arfer yn cymryd sylw o unrhyw un oedd yn cerdded i lawr Stryd y Berllan ond roedd un neu ddau o bethau am y dyn yma oedd yn ei daro'n rhyfedd.

I ddechrau, roedd e'n gwisgo siwt. Yr ail beth oedd y ffordd yr oedd yn cerdded; yn gyflym a phenderfynol. Roedd e'n mynd tuag at dŷ Kevin. Doedd dim dwywaith am hynny.

Y peth cyntaf ddaeth i feddwl Kevin oedd mai plismon mewn dillad bob dydd oedd y dyn. Gyda'i law ar yr allwedd oedd yn y clo'n barod, meddyliodd yn ôl dros yr wythnosau diwethaf. Roedd e wedi dwyn stereo car o BMW oedd wedi'i barcio yn y Bae. Yna roedd wedi dwyn potel o jin o siop ger yr orsaf drenau. Ond doedd neb wedi'i weld y naill dro na'r llall. Allai ei wyneb fod wedi cael ei ddal ar gamera fideo? Hyd yn oed petai hynny'n wir, sut oedden nhw wedi dod o hyd iddo?

Roedd y dyn yn agos nawr, yn ddigon agos i Kevin weld ei wyneb. Crynodd drwyddo. Roedd yr wyneb yn grwn a heb unrhyw fath o emosiwn arno, ei geg yn llinell wastad, a'i lygaid mor ddi-fywyd â dwy farblen. Roedd hi'n edrych fel petai'r dyn wedi cael rhyw fath o driniaeth gosmetig. Triniaeth oedd wedi'i adael â mwy o blastig na chroen. Gallai hyd yn oed ei wallt fod wedi cael ei baentio 'mlaen.

Stopiodd y dyn. Roedd e tua ugain metr i ffwrdd.

'Beth ti'n neud . . .?' gofynnodd Kevin.

Tynnodd y dyn ddryll allan.

Syllodd Kevin – mewn syndod yn hytrach nag ofn. Roedd e wedi gweld drylliau ar y teledu filoedd o weithiau. Roedd pobl yn saethu ei gilydd drwy'r amser mewn dramâu a ffilmiau. Ond roedd hyn yn wahanol. Roedd y dyn yma, y dieithryn hwn, dim ond deg cam i ffwrdd. Roedd e'n sefyll yn Stryd y Berllan ac roedd e'n dal . . .

Cododd y dyn y dryll a'i anelu. Gwaeddodd Kevin a phlygu i lawr. Saethodd y dyn. Trawodd y fwled y drws, fodfeddi uwch ei ben, gan chwalu'r pren.

Bwledi go iawn!

Dyna'r peth cyntaf ddaeth i'w feddwl yn syth. Roedd hwn yn ddryll go iawn gyda bwledi go iawn. Roedd yr ail beth ddaeth i feddwl Kevin hyd yn oed yn fwy erchyll.

Roedd y dyn yn anelu'r dryll eto.

Rywsut, pan blygodd Kevin i lawr, fe lwyddodd i ddal ei afael yn yr allwedd. Roedd yr allwedd uwch ei ben e nawr, ei fysedd yn cydio amdani. Heb wybod yn iawn beth oedd e'n ei wneud, trodd yr allwedd yn y clo a bu bron iddo grio mewn rhyddhad wrth iddo deimlo'r drws yn agor y tu ôl iddo. Pwysodd yn ôl a syrthio i mewn wrth i'r dyn danio ergyd arall. Trawodd yr un yma'r wal, gan boeri darnau o dywod a brics i'w wyneb.

Glaniodd yn drwm ar garped y cyntedd, trodd yn ôl, tynnu'r allwedd allan a chau'r drws. Gorweddai yno am eiliad, yn anadlu'n drwm, ei galon yn curo mor gyflym nes ei fod yn gallu ei theimlo'n gwthio yn erbyn ei frest. Doedd hyn ddim yn digwydd iddo. *Beth* oedd ddim yn digwydd iddo? Ceisiodd grynhoi ei deimladau. Roedd rhyw wallgofddyn wedi dianc o'r ysbyty meddwl ac wedi crwydro i Stryd y Berllan, gan saethu at unrhyw beth oedd yn symud. Na. Doedd hynny ddim yn iawn. Cofiai Kevin sut yr oedd y dyn wedi symud tuag ato. Doedd dim dwywaith amdani. Roedd y dyn am ladd Kevin.

Ond pam? Pwy oedd e? A pham Kevin?

Clywodd sŵn traed yn symud y tu allan. Doedd y dyn ddim wedi rhoi'r gorau iddi! Roedd e'n dod yn agosach. Edrychodd Kevin o'i amgylch. Oedd e ar ei ben ei hun yn y tŷ?

'Mam!' gwaeddodd. 'Dad!'

Dim ateb.

Gwelodd y ffôn. Wrth gwrs, dylai fod wedi meddwl am hyn yn syth. Roedd gwallgofddyn peryglus y tu allan ac roedd e wedi gwastraffu eiliadau gwerthfawr pan ddylai fod wedi bod yn galw'r heddlu. Cododd y derbynnydd ond cyn iddo hyd yn oed ddeialu'r rhif naw cyntaf, roedd yna res o fwledi'n ffrwydro o'i gwmpas. Syllodd mewn ofn. O'i ochr e, roedd y drws fel pe bai'n rhwygo'i hunan yn ddarnau ond fe wyddai taw'r dyn ar y palmant oedd yna yn saethu'r clo. Wrth iddo wylio, fe wnaeth y ddolen a'r clo chwalu a syrthio ar y carped. Agorodd y drws ohono'i hun.

Gwnaeth Kevin y peth cyntaf a ddaeth i'w feddwl. Gyda sgrech, fe gododd y bwrdd lle roedd y ffôn yn arfer bod a'i droi o gwmpas. Ac roedd e'n lwcus. Wrth i'r bwrdd gael ei hyrddio yn erbyn y drws, fe ddaeth y dyn i'r golwg gan gamu i mewn i'r cyntedd. Chwalodd y bwrdd yn ei wyneb a syrthiodd yn ôl, yn un swp diymadferth ar y llawr.

Safai Kevin yn ei unfan yn ceisio cael ei wynt ato. Roedd e wedi'i syfrdanu. Roedd sŵn y bwledi'n dal i ganu yn ei glustiau a'i ben yn troi.

Beth oedd e'n mynd i'w wneud? O ie. Ffonio'r heddlu. Ond roedd y ffôn wedi syrthio pan oedd Kevin wedi codi'r bwrdd, a dyna lle roedd e – wedi'i chwalu ar y llawr. Roedd ffôn arall yn ystafell wely ei rieni ond doedd dim pwynt trio hwnnw. Byddai'r drws ar gau. Roedd ei fam wedi bod yn ei gloi ers iddi ddal Kevin yn dwyn o'i bag.

Ond mi *roedd* 'na ffôn. Roedd blwch ffôn ar waelod y stryd. Gwell iddo fynd yno nag aros yn y tŷ achos ni fyddai'r dyn yr oedd e newydd ei daro yn aros yn ddiymadferth am byth. Gwell iddo beidio â bod yn agos ato pan fyddai'n deffro. Camodd Kevin dros y corff a mynd allan.

A stopiodd.

Roedd 'na ddyn arall yn cerdded tuag ato a'r hyn oedd yn rhyfedd, yn gwneud yr holl beth yn hunllef, oedd bod y dyn yma yn union yr un fath â'r cyntaf. Nid yn debyg – ond yn union yr un fath. Gallen nhw fod wedi bod yn ddau ddymi plastig o'r un ffenest siop. Bu bron i Kevin chwerthin am y peth – ond roedd e'n wir. Yr un siwt dywyll. Yr un wyneb plastig, gwag. Yr un cerddediad. A nawr roedd y dyn yn estyn i'w siaced am . . .

. . . yr un dryll trwm, arian.

'Cer o 'ma!' sgrechiodd Kevin. Llamodd yn ôl i mewn i'r tŷ wrth i'r dyn saethu. Aeth y fwled i mewn drwy'r ffenest liw yn y drws ffrynt a chwalu llun oedd yn hongian yn y cyntedd.

Y tro hwn roedd Kevin yn ddiamddiffyn. Roedd wedi defnyddio'r bwrdd yn barod ac oni bai am ymbarél ei fam doedd dim byd arall yno. Roedd yn rhaid iddo ddianc. Dyna oedd yr unig ateb. Doedd dim arf ganddo. Doedd dim gobaith ganddo i'w amddiffyn ei hunan. Roedd gwallgofddyn newydd ymosod arno, a nawr roedd hi'n ymddangos fel pe bai gan y gwallgofddyn efaill.

Croesodd Kevin y cyntedd a rhedeg i fyny'r grisiau gan grynu. Bu bron iddo syrthio wrth iddo gadw llygad ar y drws ffrynt. Dechreuodd weld cysgod yn ymddangos yn sydyn ac yna roedd y dyn i'w weld yn glir yno, yn camu i mewn i'r tŷ ac yn saethu ar yr un pryd. Aeth y fwled yn syth dros ysgwydd Kevin. Sgrechiodd Kevin a neidio allan drwy'r ffenest.

Doedd e ddim wedi'i hagor yn gyntaf. Ffrwydrodd gwydr a phren o'i gwmpas ym mhobman gan ei ddallu, bron, wrth iddo syrthio drwy'r awyr a glanio ar ei bedwar ar y to oddi tano. Roedd yna estyniad bach wrth ochr y gegin ar ben ucha'r ardd, a dyna lle roedd e nawr. Roedd ei arddwrn yn brifo ac fe welodd ei fod wedi cael anaf. Llifai gwaed coch llachar dros y bwlch rhwng ei fys a'i fawd. Gan wingo, fe dynnodd ddarn o wydr allan o ochr ei fraich. Diolchodd nad oedd wedi torri braich na choes.

Achos roedd e'n mynd i fod eu hangen.

O'r fan lle roedd Kevin yn sefyll – neu'n cyrcydu – roedd ganddo olygfa o'r holl erddi cefn, nid yn unig y tai yn Stryd y Berllan ond hefyd y rhai yn Heol y Parc – sef y stryd nesaf. Yn fan hyn roedd popeth yn wyrdd, lawntiau perffaith wedi'u gwahanu gan waliau brau neu ffensys a thai gwydr, siediau, celfi gardd a barbeciws yma ac acw. Doedd ganddo ddim amser i fwynhau'r olygfa. Hyd yn oed wrth iddo sefyll yn fwy syth, fe welodd e nhw: hanner dwsin yn rhagor o ddynion gyda drylliau, pob un ohonyn nhw'n union yr un fath â'r ddau yr oedd eisoes wedi dod ar eu traws. Roedden nhw'n symud trwy'r gerddi, gan godi eu hunain dros y ffensys a gorymdeithio ar draws y lawntiau.

'O na . . .' ochneidiodd.

Y tu ôl iddo, wrth y ffenest, fe ddaeth y dyn oedd wedi torri i mewn trwy'r drws ffrynt ac anelu ato i'r golwg. Neidiodd Kevin din dros ben a glanio yn ei lawnt gefn, cwymp a gipiodd ei anadl a'i adael yn benysgafn ac yn ddryslyd. Taniodd y dyn wrth y ffenest ei ddryll. Trawodd y fwled flodyn haul gan ei dorri yn ei hanner. Cododd Kevin a rhedeg i waelod yr ardd, taflu ei hunan dros y ffens a glanio gyda gwaedd ym mhwll pysgod y dyn drws nesaf.

Roedd Kevin yn socian. Roedd ei ysgwydd wedi cleisio, roedd ei arddwrn yn brifo oherwydd y gwydr ac roedd e'n teimlo'n sâl ac yn benysgafn. Ond fe yrrodd yr ofn ef yn ei flaen. Sylweddolodd yn sydyn, ers i'r hunllef ddechrau, nad oedd unrhyw un wedi dweud yr un gair. Roedd o leiaf wyth o ddynion mewn siwtiau yn ei ddilyn ond doedd dim un ohonynt wedi siarad. Ac er gwaetha synau'r saethu ar brynhawn braf o haf, doedd dim un o drigolion Stryd y Berllan wedi dod i weld beth oedd yn digwydd. Doedd Kevin erioed wedi teimlo mor unig.

Gyda'i ddillad yn hollol wlyb, fe groesodd Kevin ar draws gardd ei gymydog a neidio dros y wal i mewn i'r ardd nesaf. Roedd clwyd yn yr ardd hon ac fe wthiodd drwyddi gan ddod allan i lôn gul oedd yn arwain yn ôl i fyny at yr heol. Wrth hercian yn ei flaen – rhaid ei fod wedi troi ei ffêr wrth syrthio o'r ffenest – rhedodd at waelod y lôn, jest mewn pryd i neidio ar fws oedd yn gadael yr arhosfan. Yn ddiolchgar, fe suddodd i'w sedd. Wrth i'r bws gyflymu, edrychodd allan drwy'r ffenest. Roedd pedwar o'r dynion mewn siwtiau – neu efallai bedwar dyn arall – wedi dod i'r golwg yn Stryd y Berllan ac yn sefyll mewn criw yng nghanol yr heol. Pedwar model plastig o siop C&A, meddyliodd Kevin. Er gwaetha popeth, fe deimlai ryw bleser. Pwy bynnag oedden nhw, roedd e wedi'u curo. Roedd e wedi'u gadael ar ôl.

A dyna pryd y clywodd y beiciau modur. Fe ddaethon nhw'n sŵn i gyd o unman, gan fynd heibio'r pedwar dyn mewn siwtiau a charlamu i fyny'r heol tuag at y bws. Roedd tua naw ohonynt; peiriannau enfawr, a'u metel yn sgleinio a'u teiars yn dew ac yn ddu. Roedd y naw gyrrwr wedi'u gwisgo yn yr un lledr porffor o'u corun i'w sawdl. Roedd eu pennau wedi'u gorchuddio â helmedau arian gyda gwydr du yn cuddio'u hwynebau'n llwyr.

'O na . . .' sibrydodd Kevin.

Doedd neb ar y bws wedi sylwi arno. Er gwaetha'r ffaith ei fod yn frwnt, ei ddillad yn wlyb a'i wallt yn wyllt a'i wyneb wedi'i orchuddio â chwys, roedd y teithwyr eraill yn ei anwybyddu'n llwyr. Aeth hyd yn oed y casglwr tocynnau heibio iddo â gwên wag ar ei wyneb.

Beth oedd yn digwydd iddo?

Beth oedd yn mynd ymlaen?

Stopiodd y cyntaf o'r beiciau modur wrth ochr y bws. Estynnodd y gyrrwr y tu ôl i'w gefn a thynnu arf allan o gas lledr oedd yn hongian ar draws ei ysgwyddau. Syllodd Kevin drwy'r ffenest, yn geg-agored. Roedd y gyrrwr yn dal rhyw fath o faswca anferth o leiaf dri metr o hyd ac mor drwchus â bonyn coeden. Gwingodd Kevin. Estynnodd i dynnu'r cordyn 'Stop'. Taniodd y gyrrwr beic modur ei arf.

Roedd 'na ffrwydrad mor enfawr nes i sawl ffenest chwalu. Cafodd hen wraig gyda phapur newydd ei hyrddio o'i sedd. Gwelodd Kevin hi'n hedfan drwy'r awyr o flaen y bws a glanio yn y cefn. Yna parhaodd i ddarllen yn hapus. Symud-odd y bws i'r chwith, aeth dros y palmant a tharo i mewn i ffenest yr archfarchnad. Gorchuddiodd Kevin ei lygaid a sgrechian. Teimlodd y byd yn troi a throi o'i amgylch wrth i olwynion y bws wichian a llithro ar draws llawr yr archfarchnad. Trawodd rhywbeth ei ysgwydd ac agorodd ei lygaid i weld cannoedd o bacedi papur tŷ bach yn syrthio i lawr ar ei ben drwy'r twll yr oedd y beiciwr wedi'i ffrwydro yn ochr y bws. Roedd y bws yn dal i symud, yn chwalu trwy ganol yr archfarchnad. Torrodd drwy rawnfwyd, poteli llaeth a bara, llithrodd i mewn i ddiodydd meddal a llysiau wedi'u rhewi gan ddod i stop yn y diwedd yn y tuniau bwyd ci.

Agorodd Kevin ei lygad arall, yn falch ei bod yn dal yna. Roedd Kevin wedi'i orchuddio â gwydr wedi torri, plastr, llwch a phapur tŷ bach. Roedd y teithwyr eraill yn dal i eistedd yn eu seddau, yn syllu allan drwy'r ffenestri a dim ond golwg ychydig bach yn syn arnyn nhw fod y gyrrwr wedi penderfynu mynd drwy'r archfarchnad.

'Beth sy'n bod arnoch chi?' gwaeddodd Kevin.

'Allwch chi ddim gweld beth sy'n mynd ymlaen?'

Ddywedodd neb yr un gair. Ond fe wnaeth yr hen wraig oedd wedi cael ei thaflu allan o'i sedd droi tudalen o'i phapur newydd a gwenu arno'n hapus.

Y tu allan i'r archfarchnad, roedd y beiciau modur yn aros, wedi'u parcio mewn hanner cylch perffaith. Daeth y gyrwyr oddi ar eu beiciau a cherdded tuag at ochr chwith y ffenest. Dechreuodd Kevin grio a chodi ar ei draed. Dim ond eiliadau oedd ganddo i daflu ei hunan allan o'r llanast cyn i'r bws ffrwydro, gan fod y baswcas yn ei rwygo fel petai'n ddim byd ond bocs papur mawr coch.

Doedd e ddim yn siŵr sut y daeth allan o'r archfarchnad. Yng nghanol y llwch a'r dryswch doedd e braidd yn gallu gweld ac roedd sŵn y baswcas wedi'i fyddaru'n llwyr. Y cwbl a wyddai oedd bod rhaid iddo, rywsut, oroesi hyn. Neidiodd dros y cownter caws – ond ddim cweit yn ddigon pell. Aeth un droed i mewn i ddarn o Camembert rhydd a bu bron iddo gael ei daflu'n fflat ar ei gefn. Roedd drws yr ochr arall ac fe syrthiodd drwyddo, gan lusgo troed oedd nid yn unig yn brifo ond yn drewi o gaws Ffrengig. Roedd storws ar yr ochr arall ac ardal lwytho y tu hwnt i hynny. Roedd dau ddyn yn dadlwytho llwyth o gig ffres. Fe anwybyddon nhw Kevin.

Cig ffres. Dyna deimlad cyfarwydd i Kevin.

Rywsut fe lwyddodd i gyrraedd y stryd fawr gan wibio i fyny lonydd cefn a chuddio tu ôl i geir wedi'u parcio, gan gadw llygad barcud am y dynion mewn siwtiau duon a'r dynion ar feiciau modur. Roedd tri hofrennydd melyn yn hofran uwchben nawr, a rhywsut, o edrych arnyn nhw, fe wyddai Kevin eu bod nhw'n rhan o hyn hefyd. Greddf, efallai? Neu'r ffaith fod ganddyn nhw 'Lladdwch Kevin Thomas' wedi'i ysgrifennu mewn llythrennau coch ar hyd eu hochrau. Ond fe wyddai mai'r gelyn oedden nhw. Roedden nhw'n chwilio amdano.

Cafodd ddwy ddihangfa lwcus arall.

Gwelodd un o'r beicwyr ef y tu allan i siop Waterstone's a thanio roced a aeth heibio iddo o drwch blewyn, gan ddinistrio'r siop lyfrau'n llwyr a chreu llanast o dudalennau'n llosgi ar hyd y stryd fawr. Bu bron iddo gael ei ladd ychydig o eiliadau'n ddiweddarach gan un o'r hofrenyddion yn saethu taflegryn oedd yn cael ei dynnu at wres y corff. Dylai fod wedi glanio ar Kevin a'i ddinistrio'n llwyr mewn un danchwa fawr, ond roedd e'n lwcus. Roedd e'n digwydd sefyll yn agos i siop tanau trydan ac fe ddryswyd y taflegryn ar y funud olaf gan y tanau oedd yn cael eu harddangos. Nadreddodd dros ei ysgwydd ac i mewn i'r siop gan ei dinistrio'n llwyr, a thri adeilad arall yn yr un arcêd. Er i Kevin gael ei daflu sawl metr i ffwrdd gan y ffrwydrad, ni chafodd ei niweidio'n ddifrifol.

Erbyn i'r cloc daro naw, doedd dim byd ar ôl yn y stryd fawr y gallech ei alw'n fawr. Roedd y rhan fwyaf o'r siopau erbyn hyn yn bentyrrau o rwbel. Roedd yr arosfannau bysiau a'r lampau stryd wedi'u torri yn eu hanner, blychau post wedi'u codi a swyddfeydd wedi'u dinistrio. A phan drawodd y cloc naw o'r gloch, cafodd y cloc ei hunan ei daro gan daflegryn niwclear oedd wedi cael ei saethu gan un o'r hofrenyddion, ac fe chwythwyd y cloc yn deilchion. O leiaf doedd y beicwyr mewn lledr porffor ddim i'w gweld yn unman. Byddai wedi bod yn amhosib gyrru i fyny'r stryd fawr mewn unrhyw beth ond tractor. Doedd dim llawer o stryd ar ôl – dim ond cyfres o dyllau. Ar y llaw arall, roedd y lle erbyn hyn yn llawn o ddreigiau arian a gwyrdd yn hedfan ar hyd y lle gyda'u cynffonnau scorpion, crafangau miniog a'u llygaid oedd fel chwiloleuadau. Roedd y dreigiau'n llosgi unrhyw beth oedd yn symud. Ond doedd dim byd yn symud. Roedd y diwrnod a'r ddinas wedi dod i ben.

Roedd Kevin Thomas ar ei gwrcwd, yn cuddio yn un o'r tyllau. Roedd ei ddillad yn rhacs, un goes o'i jîns wedi diflannu'n llwyr – a'i gorff wedi'i orchuddio â gwaed ffres, sych. Roedd briw uwch ei lygad a man moel ar gefn ei ben lle roedd darn mawr o'i wallt wedi cael ei losgi i ffwrdd. Roedd ei lygaid yn goch. Roedd e wedi bod yn crio. Gadawodd ei ddagrau olion brwnt ar hyd ei fochau. Gorweddai o dan fatres oedd wedi cael ei chwythu allan o siop welyau. Roedd e'n falch ohono. Roedd yn ei guddio rhag yr hofrenyddion a'r dreigiau. Dyma'r unig beth meddal oedd ar ôl yn ei fywyd.

Rhaid ei fod wedi syrthio i gysgu achos y peth nesa roedd e'n gwybod oedd bod y bore wedi cyrraedd. Roedd haul y bore wedi codi ac roedd popeth o'i amgylch yn ddistaw. Gan grynu, fe gododd y matres oddi arno a sefyll. Gwrandawodd am eiliad, yna dringo allan o'r twll.

Roedd e'n wir. Roedd yr hunllef drosodd. Roedd y byddinoedd oedd wedi treulio trwy'r dydd yn trio'i ladd wedi diflannu. Ymestynnodd ei goesau gan deimlo'r haul cynnes ar ei gefn, a syllodd o'i amgylch ar y llanast oedd yn mudlosgi. Llanast a fu unwaith yn rhan o ddinas lewyrchus. Wel, doedd dim ots am hynny. Wfft i'r lle. Roedd Kevin yn fyw!

Ac roedd e wedi deall beth oedd yn rhaid iddo'i wneud. Roedd yn rhaid iddo ddod o hyd i'r ffordd yn ôl i mewn i ganol y ddinas a dod o hyd i swyddfeydd Gêmau Galaethol. Roedd yn rhaid iddo ddweud wrth Mr Go mai camgymeriad oedd y cwbl ac nad oedd e eisiau gyrfa mewn gêmau cyfrifiadur ac nad oedd diddordeb ganddo mewn *Smash Crash Slash 500*, hyd yn oed os mai dyma oedd y gêm fwyaf poblogaidd yn y bydysawd. Ac roedd e'n credu hynny nawr. Ac o ba ran o'r bydysawd yr oedd Mr Go wedi dod ohoni? Roedd hynny'n ddirgelwch i Kevin.

Dyna beth y byddai'n 'i wneud. Byddai Mr Go yn deall. Byddai'n rhwygo'r cytundeb a byddai'r cwbl drosodd.

Cymerodd Kevin gam ymlaen a stopio.

Fe glywodd sŵn fel taran uwchben. Am eiliad fe lanwodd y sŵn yr aer, sŵn rholio – sŵn ffrwydro, saib ac yna glec fetalaidd.

Storm haf?

Ym mhen pellaf maes y gad, fe ddaeth dyn mewn siwt ddu i'r golwg a dechrau cerdded tuag ato.

Teimlai Kevin ei goesau'n gwanhau. Daeth dagrau i'w lygaid a dechreuodd feichio crio. Roedd yn adnabod y sŵn yna'n dda iawn.

Sŵn arcêd.

Ac roedd rhywun, yn rhywle, wedi rhoi darn punt arall i mewn yn y peiriant.

DIWEDD
Hari

Ni welodd Hari Evans y bws a'i trawodd.

Ni theimlodd ryw lawer chwaith. Un funud yr oedd yn rhedeg ar draws Stryd y Brenin gyda phentwr o CDs yn ei law a larwm y siop yn canu yn ei glustiau, a'r nesa . . . dim byd. Dyna oedd y drafferth gyda dwyn o siopau, wrth gwrs. Pan fyddai rhywun yn eich gweld, fyddai dim i'w wneud ond rhedeg ac ni allech stopio ar ochr y stryd i wneud rhywbeth mor synhwyrol ag edrych i'r chwith ac i'r dde. Roedd yn rhaid i chi fynd amdani. Roedd Hari wedi mynd amdani ond yn anffodus doedd e heb gyrraedd yr ochr arall. Cafodd ei daro gan y bws pan oedd e hanner ffordd ar draws yr heol. A dyna lle roedd e. Yn bymtheg oed ac wedi marw'n barod.

Agorodd ei lygaid.

'Yffach!' meddai'n gryg. 'Dyw hyn ddim yn digwydd.'

Caeodd ei lygaid eto, cyfri i ddeg ac yna'u hagor, un ar y tro. Doedd dim dwywaith amdani.

Oni bai ei fod yn gweld pethau, doedd e ddim yn Abertawe bellach. Roedd e yn . . .

'Yffach!' sibrydodd eto.

Roedd e'n dal i wisgo'r un siaced ledr ddu, y crys-T a'r jîns ond roedd e'n eistedd ar rywbeth gwyn meddal oedd yn debyg iawn i gwmwl. Ie, cwmwl! Roedd yr aer yn gynnes ac yn arogli o flodau a gallai glywed miwsig, nodau meddal oedd yn swnio'n debyg i dannau telynau. Tua thri deg metr i ffwrdd oddi wrtho roedd gatiau, rhai aur a pherlau gwyn llachar arnyn nhw. Roedd goleuni'n llifo drwy'r bariau gan ei gwneud yn anodd gweld beth oedd yn digwydd yr ochr arall. Ac roedd rhywbeth rhyfedd iawn am yr awyr. Er ei bod yn edrych fel petai'r haul yn gwenu, roedd yr awyr yn dywyll. Pan edrychodd Hari i fyny fe allai weld miloedd o sêr ar gefndir o las dwfn, tywyll. Roedd hi fel pe bai hi'n nos ac yn ddydd ar yr un pryd.

Doedd Hari ddim ar ei ben ei hun. Roedd rhes o bobl yn aros, yn ymestyn yn ôl mor bell ag y gallai weld . . . yn ymestyn mor bell nes bod hyd yn oed y bobl yng nghanol y rhes yn ddim mwy na phennau pinnau. Gan edrych ar y rhai oedd agosaf ato, fe welodd fod 'na ddynion a menywod o fwy neu lai bob gwlad yn y byd. Roedden nhw wedi 'u gwisgo mewn amrywiaeth rhyfedd o ddillad o siwtiau i saris, cimonos a hyd yn oed ffwr esgimo. Roedd nifer fawr ohonyn nhw'n hen ond roedd yno hefyd blant yn eu harddegau a phlant bach yn eu plith. Roedden nhw'n aros yn dawel, fel pe baen nhw wastad wedi disgwyl dod i fan hyn yn y pen draw. A nawr roedden nhw'n hapus eu bod wedi cyrraedd o'r diwedd.

Ond cyrraedd ble?

Roedd yr ateb, wrth gwrs, yn amlwg. Dim ond unwaith yn ei fywyd yr oedd Hari wedi bod i'r eglwys ac roedd hynny er mwyn dwyn canwyll-brennau arian oddi ar yr allor, ond roedd hyd yn oed Hari yn deall beth oedd pobl grefyddol yn ei gredu. Y rhes o bobl, y cymylau, y telynau a'r gatiau gyda pherlau arnyn nhw . . . cofiai am y gwersi Addysg Grefyddol yn Ysgol Uwchradd Pen y Stryd gyda Doris Davies. Wel, roedd yr hen ast yn iawn wedi'r cwbwl! Roedd nefoedd yn bod. Teimlai Hari fel chwerthin. 'Ein Tad yr hwn wyt yn y nefoedd . . .' Sut oedd gweddill y weddi'n mynd? Roedd e wedi anghofio. A dweud y gwir roedd

Hari wastad wedi credu bod nefoedd ac uffern yn llefydd oedd wedi'u creu er mwyn codi ofn ar bobl. Er mwyn i bobl fod yn dda. Dyna sioc oedd darganfod bod yr holl beth yn wir.

Safodd ar ei draed a'r rheini'n suddo yn ysgafn i mewn i'r cwmwl. Doedd Hari ddim yn arbennig o alluog. Dim ond rhyw hanner dwsin o weithiau yr oedd e wedi bod i'r ysgol eleni ac roedd e wedi bwriadu gorffen yn gyfan gwbl unwaith y byddai'n troi yn un ar bymtheg. Ond nawr, roedd ei ymennydd yn dechrau gweithio. Roedd e mewn rhes o bobl y tu allan i gatiau'r nefoedd. Roedd y bobl hyn i gyd, yn ôl pob tebyg, yn farw. Felly, mae'n rhaid ei fod e wedi marw hefyd. Ond sut oedd hynny wedi digwydd? Doedd e ddim yn cofio cael ei lofruddio. Oedd e wedi bod yn sâl? Roedd hi'n wir ei fod wedi bod yn smocio o leiaf ddeg sigarét y dydd ac roedd ei fam wastad yn ei rybuddio y byddai'n cael cancr – ond byddai Hari wedi sylwi tase hynny wedi digwydd, yn byddai?

Ceisiodd gofio am yr hyn oedd wedi digwydd iddo yn ystod y diwrnod. Y bore hwnnw, roedd e wedi deffro yn ei dŷ ar y stad lle roedd yn byw y tu allan i Abertawe. Roedd e wedi bwyta ei frecwast, cicio'r ci, rhegi ar ei fam ac wedi mynd i'r ysgol. Wrth gwrs, doedd e ddim wedi cyrraedd yr ysgol. Roedd e wedi colli cymaint o ddyddiau nes bod y gweithwyr cymdeithasol wedi bod yn chwilio amdano ond, yn ôl ei arfer, roedd Hari wedi dianc. Roedd e wedi mynd i mewn i'r dref. Cofiodd ei fod wedi twyllo ar y bws wrth brynu tocyn i blentyn ac yna wedi mynd i ganol y dre. Roedd e wedi bwyta ail frecwast mewn caffi cyn mynd i glwb snwcer y tu ôl i'r stryd fawr . . . y math o le oedd ddim yn gofyn gormod o gwestiynau pan âi i mewn – yn enwedig cwestiynau am ei oed. Roedd e wedi meddwl mynd i weld y ffilm James Bond newydd ond roedd ganddo awr i'w gwastraffu cyn iddi ddechrau, felly fe benderfynodd fynd i ddwyn rhywbeth. Roedd digon o siopau mawr ar Stryd y Brenin. Po fwyaf oedd y siop, yr hawsaf oedd hi i ddwyn rhywbeth. Cuddiodd un neu ddau o CDs o dan ei siaced ac roedd e wrthi'n dewis rhagor pan sylwodd ar dditectif y siop yn agosáu. Fe redodd. Ac yna . . .

Beth oedd wedi digwydd? Nawr ei fod yn meddwl am y peth, roedd e wedi gweld fflach o goch drwy gornel ei lygad. Daeth pwff o wynt ac roedd rhywbeth wedi cyffwrdd â'i ysgwydd yn ysgafn iawn. A dyna i gyd. Dyna'r peth olaf yr oedd yn ei gofio.

Pa ffordd bynnag yr edrychai ar bethau, dim ond un ateb oedd i hyn. Roedd e wedi cael ei ladd! Doedd dim dwywaith am hynny! Ac . . .

Gwawriodd rhywbeth ar Hari'n gyflym iawn. Os yw nefoedd yn bodoli yna mae uffern yn bodoli hefyd. Dwyt ti ddim eisiau mynd i uffern. Rwyt ti eisiau mynd i'r nefoedd. Ond does dim modd i ti fynd i'r nefoedd, mêt. Dim gyda dy record di. Onì bai dy fod yn llwyddo i wneud rhywbeth anhygoel. Rwyt ti'n mynd i orfod eu twyllo nhw'n llwyr. A gore po gyntaf . . .

Gwthiodd Hari ei ffordd i mewn i'r rhes gan gamu rhwng dyn bach o Tsieina gyda chyllell carn ifori yng nghanol ei frest a hen wraig oedd yn dal i wisgo ei breichled enwi o'r ysbyty.

'Beth wyt ti'n 'i 'neud?' gofynnodd y fenyw.

'Cer i grafu Mam-gu,' atebodd Hari. Er bod yr holl sigaréts wedi rhwystro tyfiant Hari, roedd e'n dal yn globyn o foi cyhyrog. Roedd ganddo wyneb gwelw, gwallt seimllyd a llygaid tywyll, hyll. Gwisgai siaced ledr ddu ac roedd ganddo styds arian yn ei glustiau, ei foch chwith, ei drwyn a'i wefus. Edrychai'n beryglus. Doedd e ddim y math o berson y byddech yn dadlau gydag e, hyd yn oed pe byddech yn gallu gweld nad oedd e bellach yn fyw. Doedd hi ddim yn syndod, felly, fod yr hen wraig wedi distewi.

Symudodd y rhes yn ei blaen. Erbyn hyn, roedd Hari yn gallu gweld ffigwr yn eistedd ar ryw fath o stôl uchel wrth ochr y gatiau. Hen, hen ddyn oedd e gyda gwallt gwyn hir a barf fawr. Petai'n gwisgo coch, meddyliodd Hari, byddai fel fersiwn nefolaidd o Siôn Corn. Ond roedd ei ddillad yn wyn. Roedd yn dal llyfr mawr du, rhyw fath o lyfr cofnod ac roedd bwnsiad o allweddi wedi'u clymu o gwmpas ei ganol. Trodd y dyn at Hari am eiliad a synnodd Hari fod ganddo ddwy adain fawr o blu gwyn, gwyn. Roedd dau ddyn iau gydag e a phan sylweddolodd Hari ei fod yn gwybod pwy, neu beth, oedden nhw, fe yrrodd hyn ias i lawr ei gefn. Nhw oedd yn cadw'r allweddi. Nhw oedd yn gwarchod gatiau'r nefoedd. Ceisiodd gofio beth oedd Miss Davies wedi'i ddweud. Beth oedd enw'r dyn â'r allweddi? Bob? Padrig? Pyrsi? Nage – Pedr! Sant Pedr! Dyna oedd ei enw! Hwn oedd y dyn yr oedd yn rhaid i Hari ei berswadio i'w adael i mewn.

Ymhen awr fe gyrhaeddodd y gatiau. Erbyn hyn, roedd Hari wedi paratoi. Roedd e'n gallu gweld y nefoedd o'i flaen. Ond fe allai ddychmygu uffern. Fe wyddai pa un fyddai'n well ganddo fynd iddo.

`Enw?' gofynnodd Sant Pedr.

`Hari,' meddai. `Hari Evans, syr.' Roedd e'n falch iddo gofio dweud `syr'. Roedd yn rhaid dangos parch er mwyn plesio'r hen ffŵl.

`Faint yw dy oed di, Hari?'

`Dw i'n bymtheg, syr.' Ceisiodd Hari swnio'n ifanc ac yn ddiniwed iawn. Roedd yn difaru nawr nad oedd e wedi tynnu'r styds arian i gyd o'i wyneb.

Pwysodd un o'r angylion iau ymlaen a sibrwd wrth Sant Pedr. Nodiodd yr hen angel. `Fe gest ti dy ladd ar Stryd y Brenin y prynhawn 'ma,' meddai.

`Do, syr. Alla i ddim dychmygu beth ddywedith Mam druan. Fe dorrith ei chalon, dw i'n siŵr . . .'

`Pam nad oeddet ti yn yr ysgol?'

Meddyliodd Hari'n galed. Pe byddai'n dweud wrthyn nhw ei fod wedi peidio â mynd i'r ysgol yn fwriadol, byddai'n cael ei gosbi. Rhaid oedd meddwl am ateb call. 'Wel, syr . . .' meddai. 'Roedd hi'n ddiwrnod pen-blwydd Mam. Felly fe ofynnais i'r athrawes gawn i gael fy esgusodi er mwyn dwyn rhywbeth ar ei chyfer . . . Sori, er mwyn prynu rhywbeth iddi. Mi o'n i eisiau prynu rhywbeth neis iddi, felly fe es i mewn i'r dre.'

'Wyt ti wastad wedi bod mor garedig wrth dy fam?'

Cofiodd Hari am yr holl enwau yr oedd wedi galw ei fam y bore hwnnw. Meddyliodd am yr arian yr oedd wedi'i ddwyn o'i bag. Ar brydiau yr oedd wedi dwyn y bag cyfan. 'Dries i fod yn fachgen da,' meddai.

'A wnes di weithio'n galed yn yr ysgol?'

'O do. Mae ysgol yn bwysig iawn. Addysg Grefyddol oedd fy hoff wers. Ac ro'n i'n gweithio mor galed ag y gallwn i.'

'Rwyt ti'n edrych yn fachgen cryf. Gobeithio nad oeddet ti byth yn bwlio neb.'

Fflachiodd atgofion o flaen llygaid Hari. Glen Griffiths a'i lygad ddu. Robin Addison yn crio a'i drwyn yn gwaedu. Ben Ewing a'i fraich wedi'i throi, yn gweiddi wrth i Hari ddwyn ei arian cinio.

'O, byth syr,' atebodd. 'Dw i'n casáu bwlis.'

'Mae casáu yn bechod, fachgen.'

'Ydy e? Wel, dw i'n eitha hoff o fwlis a dweud y gwir. Ond dw i ddim yn hoffi beth maen nhw'n 'i wneud!'

Roedd Hari yn chwysu ond roedd yr angel i'w weld yn hapus. Gwnaeth ychydig o nodiadau yn ei lyfr. Defnyddiai bluen ac inc. Byddai Hari wedi hoffi cael gwybod a oedd yr angel wedi tynnu'r bluen allan o'i adain ei hunan.

Syllodd Sant Pedr arno'n fanwl ac am eiliad roedd yn rhaid i Hari edrych i ffwrdd. Roedd hi fel petai llygaid yr angel yn edrych reit i mewn iddo a thrwyddo, hyd yn oed. Faint o filoedd neu filiynau o bobl oedd y llygaid yna wedi'u harchwilio?

'Wyt ti'n edifar am dy bechodau?' gofynnodd Sant Pedr.

'Pechodau? Dw i erioed wedi pechu!' Teimlodd Hari ei law yn troi'n ddwrn ond ceisiodd ymlacio. Ni chredai y byddai taro Sant Pedr yn ei drwyn yn syniad da. 'Wel, falle fy mod i wedi anghofio bwydo'r ci unwaith neu ddwywaith,' meddai. 'A wnes i mo fy ngwaith cartref mathemateg un noson fis Mehefin diwethaf. Rwy'n edifar am 'ny. Ond dyna i gyd, syr. Do's dim byd arall.'

Teimlodd Hari rywbeth yn taro'r llawr a gwelodd fod un o'r CDs yr oedd wedi'i ddwyn wedi syrthio allan o'i siaced ledr. Syllodd arno, gan gochi. 'Yffach! Edrychwch ar hwnna!' meddai Hari. 'Sgwn i sut gyrhaeddodd hwnna fan'na?' Fe'i cododd a'i roi i Sant Pedr. 'Hoffech chi ei gael, syr? Y Chwydwyr 'yn nhw. Fy hoff grŵp i.'

Cymerodd Sant Pedr y CD, edrych arno'n gyflym ac yna'i roi i un o'i gynorthwywyr. Fe wenodd. 'Iawn, fachgen,' meddai. 'Gei di fynd drwy'r gatiau.'

'Ga i?' Roedd Hari wedi'i synnu.

'Dos i mewn!'

'Diolch yn fawr, syr. Bendith arnoch chi, ac yn y blaen . . .!'

Roedd e wedi llwyddo! Ni allai gredu'r peth. Roedd e wedi gwenu a chrafu a galw Sant Pedr yn 'syr' ac roedd yr hen ffŵl wedi credu'r cwbwl. A gwobr Hari fyddai cael mynd i'r nefoedd! Sythodd Hari ei ysgwyddau. O'i flaen, fe agorodd y gatiau. Chwyrlïodd cerddoriaeth o'i gwmpas wrth i fil o delynau seinio gyda'i gilydd i greu uchafbwynt hyfryd. Roedd hi fel petai'r gerddoriaeth yn ei godi ac yn ei gario yn ei flaen. Ar yr un pryd fe glywodd

Hari sŵn canu. Côr nefolaidd. Deng mil o leisiau anweledig, tragwyddol yn canu mewn unsain pur. Dawnsiai'r golau yn ei lygaid, gan lifo drwyddo. Cerddodd yn ei flaen gan sylwi fod ei siaced ledr du a'i jîns wedi syrthio i ffwrdd, a nawr roedd e'n gwisgo ffrog wen a sandalau. Pasiodd drwy'r gatiau a'u gweld yn cau'n ysgafn y tu ôl iddo. Fe wnaeth e glywed sŵn clic ac yna roedd y cwbl drosodd. Roedd y gatiau wedi cau ac roedd Hari yn y nefoedd.

Bu Hari'n hapus iawn am ychydig o ddyddiau ar ôl hynny. Arnofiodd ar hyd tirwedd o gymylau gwyn perffaith lle nad oedd yr haul byth yn machlud, lle nad oedd hi byth yn bwrw glaw a lle nad oedd hi byth yn rhy boeth nac yn rhy oer. Llanwyd y tawelwch mawr gan sŵn telynau a lleisiau'n canu Haleliwia'n beraidd. Doedd dim bwyd na dŵr ond doedd dim ots am hynny achos doedd Harry byth yn sychedig nac yn llwglyd. Er bod miloedd ar filoedd o bobl yn y nefoedd, siŵr o fod, sylweddolodd Hari fod y lle mor eang fel nad oedd byth yn gweld llawer ohonyn nhw. Fe aeth heibio ambell berson a gododd eu llaw arno a gwenu'n neis ond fe anwybyddodd Hari nhw.

Roedd yn falch o fod yno gyda'r angylion eraill ond doedd hynny ddim yn golygu fod yn rhaid iddo siarad â nhw.

Roedd hi'n nefoedd. Nefoedd berffaith.

Aeth y dyddiau'n wythnosau a'r wythnosau'n fisoedd. Parhaodd y telynau i greu cerddoriaeth ysgafn a ddilynai Hari i bob man. Mewn gwirionedd, roedd e'n dechrau cael llond bol ar y telynau. Doedd ganddyn nhw ddim drymiau neu gitârs trydan gyda nhw yn y nefoedd? Roedd e hefyd ychydig bach yn flin nad oedd mwy o liw yn y nefoedd. Roedd cymylau gwyn ac awyr las yn iawn ond ar ôl ychydig roedd y cwbl braidd yn . . . ailadroddllyd.

Aeth ati i geisio cwrdd â phobl eraill gan benderfynu y byddai, wedi'r cwbl, yn mwynhau'r lle yn fwy o bosib, petai ddim ar ei ben ei hun. Yn sicr roedd yr angylion yn gyfeillgar iawn. Roedd pawb yn gwenu arno. Roedden nhw wastad yn edrych yn hapus i'w weld e. Ond ar yr un pryd, doedd dim llawer gyda nhw i'w ddweud heblaw 'Bore da!' a 'Sut wyt ti?' ac (o leiaf ganwaith y dydd) 'Bendith arnat ti!'

Er gwaetha'r ffaith fod popeth yn hollol berffaith, roedd Hari'n dechrau diflasu ac ar ôl iddo fod yno am . . . wel, gallai fod wedi bod yn flwyddyn neu fe allai fod wedi bod yn ddeng mlynedd – roedd hi'n anodd dweud pan nad oedd dim byd llawer yn digwydd – fe benderfynodd y byddai'n dechrau ymladd â rhywun jest er mwyn gweld beth fyddai'n digwydd.

Arhosodd nes iddo ddod o hyd i angel oedd yn llai na fe 'i hunan (dyna'r hyn oedd e wedi arfer ei wneud erioed) ac aeth ato.

'Ti'n hyll!' meddai.

'Beth?' Roedd yr angel wedi bod yn eistedd ar gwmwl yn gwneud dim byd. Ond, wrth gwrs, doedd dim byd penodol i'w wneud.

'Mae dy wyneb di'n troi arna i,' meddai Hari.

'Mae'n ddrwg gen i,' atebodd yr angel. 'Fe adawa i ar unwaith.'

'Oes ofn arnat ti?' gwaeddodd Hari.

'Ofn?'

'Ie!'

'Oes. Ti'n hollol iawn.'

Fe wnaeth yr angel ymgais i adael a dyna pryd y rhoddodd Hari glatsien iddo. Un galed. Syrthiodd yr angel 'nôl mewn syndod. Roedd dwrn Hari wedi'i ddal ar ei ên ond doedd 'na ddim gwaed na chleisiau. Doedd 'na ddim hyd yn oed unrhyw boen. Cymerodd yr angel eiliad neu ddwy cyn sylweddoli beth oedd wedi digwydd. Yna syllodd yn drist ar Hari. 'Rwy'n maddau i ti,' meddai.

'Dw i ddim eisiau i ti faddau i fi!' cwynodd Hari. 'Dw i eisiau ffeit.'

'Bendith Duw arnat!' meddai'r angel gan hedfan i ffwrdd.

Aeth mil o flynyddoedd arall heibio.

Roedd y telynau'n dal i seinio. Roedd y cymylau'n dal yn berffaith, yn wyn gwynnach na gwyn. Roedd yr awyr yn dal yn las. Doedd y tywydd ddim wedi newid o gwbl, ni chawson nhw hyd yn oed un diferyn o law am eiliad. Canai'r corau a chrwydrai'r angylion o gwmpas y lle, yn gwenu'n freuddwydiol ac yn bendithio'i gilydd.

Roedd Hari wedi cyrraedd pen ei dennyn. Ciciodd gwmwl a chnoi ei wefus wrth i'w droed fynd drwyddo. Doedd e ddim wedi bod yn sâl, ddim unwaith yn yr holl amser yr oedd wedi bod yma. Byddai wedi hoffi bod yn sâl. Peswch neu annwyd. Malaria hyd yn oed. Unrhyw beth am newid. Doedd e heb ddod o hyd i unrhyw un i siarad ag e chwaith. Roedd yr angylion eraill i gyd mor ddiflas! Yn ddiweddar – tua chant ac ugain o flynyddoedd yn ôl – roedd e wedi dechrau siarad â fe ei hunan ond roedd e wedi dechrau diflasu ei hunan hefyd. Beth bynnag, roedd yn casáu sŵn ei lais ei hunan. Roedd e wedi dechrau sawl ffeit ond roedden nhw i gyd wedi diweddu yr un mor siomedig â'r gyntaf. Yn y diwedd, fe benderfynodd Hari nad oedd dim pwrpas gwneud hyn.

Ac yna, ar hap, un diwrnod (doedd dim syniad ganddo pa ddiwrnod, a chan nad oedd nos i'w gael, doedd e ddim yn siŵr os taw diwrnod oedd hwn ai peidio) fe sylweddolodd ei fod wedi cyrraedd yn ôl i'r man lle dechreuodd y cwbl. Dyna lle roedd y gatiau â pherlau arnyn nhw ac, yn sefyll gyda'i ddau gynorthwyydd, roedd Sant Pedr, yn dal i ddelio gyda'r rhes hir o bobl oedd yn ymestyn tuag at y gorwel a thu hwnt. Gan deimlo'r cyffro a'r gobaith am y tro cyntaf ers canrifoedd, fe ruthrodd Hari at y gatiau, ei sandalau'n chwifio o gwmpas ar ei draed, ei ffrog wen yn chwythu yn y gwynt.

'Esgusoda fi!' gwaeddodd Hari gan dorri ar draws Sant Pedr wrth iddo siarad â dyn a chanddo gilt ond dim coesau. 'Esgusoda fi, syr!'

'Ie?' Trodd Sant Pedr ato a gwenu trwy fariau'r gât.

'Dwyt ti siŵr o fod ddim yn fy nghofio i. Ond fy enw i yw Hari . . . Hari ym . . .' Sylweddolodd Hari ei fod wedi anghofio ei gyfenw ei hunan. 'Des i fan hyn amser maith yn ôl.'

'Dw i'n cofio'n iawn,' meddai Sant Pedr.

'Wel, ma'n rhaid i fi ddweud rhywbeth wrthot ti!' Roedd Hari'n grac. Roedd e wedi cael digon. Mwy na digon. 'Roedd popeth ddwedes i wrthot ti pan ddes i yma'n gelwydd. Es i ddim i'r ysgol a phan es i i'r ysgol fe fues i'n bwlio pawb, gan gynnwys yr athrawon. Ro'n i'n arfer cicio'r gath – neu falle taw ci oedd e. Ro'n i'n casáu fy mam ac roedd hi'n fy nghasáu i. Ro'n i'n dweud celwydd ac yn twyllo ac yn dwyn. Dw i'n gwybod i mi ddweud fod yn ddrwg gen i am beth wnes i, ond o'n i'n dweud celwydd bryd hynny hefyd achos dydw i ddim yn flin. Dw i'n falch fy mod wedi gwneud y pethau yna i gyd. Joies i!'

'Beth wyt ti'n ceisio'i ddweud?' gofynnodd Sant Pedr.

'Beth dw i'n 'i ddweud, yr hen dwpsyn, yw nad ydw i'n hoffi'r lle!' Roedd Hari bron yn gweiddi erbyn hyn. 'A dweud y gwir, dw i'n casáu'r lle yma a dw i wedi penderfynu nad ydw i am aros!'

'Mae arna i ofn nad oes dewis gen ti,' atebodd Sant Pedr. 'Dim ti sydd i benderfynu nawr.'

'Ond dwyt ti ddim yn deall, y ffŵl barfog!'

Cymerodd Hari anadl ddofn. 'Ddylwn i ddim bod yn y nefoedd. Dylet ti byth fod wedi fy ngadael i i mewn yma.'

Ni siaradodd yr angel. Syllodd Hari arno. Roedd ei wyneb wedi newid i gyd. Roedd y farf wedi llithro, fel un ffug. O dan y farf, roedd yr ên yn bigog ac fel petai wedi'i gorchuddio â chen. Ac wrth i Hari edrych yn agosach, fe sylwodd fod rhywbeth i'w weld drwy wallt yr hen ddyn. Cyrn?

'Aros . . .' meddai Hari.

Dechreuodd Sant Pedr – neu pwy bynnag, beth bynnag oedd hwn mewn gwirionedd – chwerthin. Fflachiodd dwy fflam goch yn ei lygaid a chrech-wenodd i ddangos dannedd miniog.

'Hari bach,' meddai. 'Beth yn y byd wnaeth i ti feddwl dy fod wedi mynd i'r nefoedd?'